Er zijn vier boeken over De Toverlamp:

Het monster (AVI 4)

De raket (AVI 4)

De Witte Ridder (AVI 4)

De schat (AVI 4)

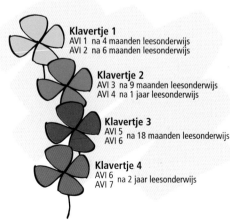

Klavertje 1
AVI 1 na 4 maanden leesonderwijs
AVI 2 na 6 maanden leesonderwijs

Klavertje 2
AVI 3 na 9 maanden leesonderwijs
AVI 4 na 1 jaar leesonderwijs

Klavertje 3
AVI 5
AVI 6 na 18 maanden leesonderwijs

Klavertje 4
AVI 6
AVI 7 na 2 jaar leesonderwijs

De Schat

Tekst en tekeningen

Harmen van Straaten

KLUITMAN

Boeken met dit vignet zijn op niveaubepaling geregistreerd
en gecontroleerd door KPC Groep te 's-Hertogenbosch.

Nur 282/L050602
© Uitgeverij Kluitman Alkmaar B.V.
Omslagontwerp: Design Team Kluitman

www.kluitman.nl

Het kasteel

Het giet van de regen.
Tom rent door het gras.
Hij gaat naar het kasteel.
Daar is het droog.
Het kasteel is al oud.
Wel vijfhonderd jaar.
Maar nu wordt het gesloopt.
Dat zei Toms vader.
De eigenaar heeft geen geld meer.
Hij kan het kasteel niet meer maken.
Het dak is lek en het hout is rot.
Nog even en het stort in.

De deur van het kasteel staat op een kier.
Tom glipt naar binnen.
„Hallo," roept hij.
Hij staat in een grote hal.
Zijn stem galmt.
Tom loopt naar de trap.
Aan elke kant staat een harnas.

„Ha, heb je al kennis gemaakt?
Dat zijn Knabbel en Babbel."
Tom draait zich om.
Achter hem staat een oude man.
De man heeft een gouden tand.
Tom vindt hem een beetje eng.

Tom wijst naar de regen.
„Ik kom hier schuilen."
De man knikt.
Hij heeft rare kleren aan.
Alsof ze heel oud zijn.
Net als het kasteel.
„Woont u hier?" vraagt Tom.
De man kijkt raar.
„Ik was met Jim en Anna," zegt Tom.
„Die ken ik van de camping.
We waren op weg naar het zwembad.
Maar we kregen ruzie.
Ik weet niet meer waarom.
Het regent hier steeds.
Ik wou dat de vakantie om was.
Het is niet leuk als het regent."
De man maakt een gebaar.
„Blijf hier maar schuilen."

9

Het schilderij

Het regent steeds harder.
De deur valt met een klap dicht.
Tom schrikt.
„Mag ik hier even kijken?" vraagt hij dan.
De man wenkt hem.
Tom loopt met hem mee.
Er zijn veel schilderijen.
Met mannen te paard,
met een harnas aan.
En vrouwen met grote pruiken.
„Bent u de baas hier?" vraagt Tom.
De man mompelt wat.
Tom hoort niet wat hij zegt.

Ze komen in een grote zaal.

Daar hangt een schilderij boven de haard.

Er is iets raars mee.

De man op het schilderij heeft geen gezicht.

Hij houdt iets in zijn hand.

Het lijkt wel de toverlamp van Aladdin.

„Wat is er met dat schilderij?" vraagt Tom.

„Het wordt schoon gemaakt," zegt de man.

Buiten regent het niet meer.
Een zonnestraal schijnt door het raam,
precies op de gouden tand van de man.
De man pakt Tom bij zijn hand.
„Wrijf maar over de lamp.
Dan kun je een wens doen."
„Dat doe ik," lacht Tom.
Hij wrijft met zijn hand over de lamp.
„Dan wens ik een schat.
Een grote schat met heel veel goud.
Dan is er geld voor het dak.
En het kasteel kan blijven staan.
Of ik wens de straatprijs van de loterij.
Dat is ook vast wel genoeg
om het kasteel op te knappen."

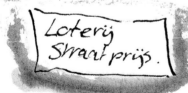

Tom kijkt naar buiten.
„Ik moet gaan.
Ze weten niet waar ik ben."
De man zwaait hem uit.

Jim en Anna staan bij de camping.
Ze hangen tegen de slagboom.
„Ben je nog boos?" vraagt Jim.
Tom schudt zijn hoofd.
Hij vertelt over het kasteel.
En over de toverlamp.
„Zullen we daar morgen heen gaan?"
vragen Jim en Anna.
„Dat is goed," zegt Tom.
„Zijn we dan weer vrienden?"
Anna slaat tegen zijn hand.
„Voor altijd en eeuwig," roept ze.
„En nu weet ik wat leuks.
Pak me dan, als je kan!"
Ze rennen weg.

Het is al laat als Tom in zijn tent ligt.
De regen tikt op het dak.
Bah, weer regen, denkt Tom.
Maar hij heeft geen ruzie meer.
Dat is fijn.
Dan valt hij door het getik in slaap.

Een geest

„Word eens wakker!"
Tom hoort een stem roepen.
Hij kijkt om zich heen.
Het is nog donker.
Waar komt dat geluid vandaan?
Hij doet de tent open.
Buiten staat een geest.
Hij lacht naar Tom.
Zijn gouden tand blinkt.
Tom kijkt verbaasd naar de geest.
„Ik ben de geest uit de toverlamp.
Je riep me toch, slome?"

Tom wrijft in zijn ogen.

Dit kan toch niet waar zijn?

„Je wou toch een schat?"

vraagt de geest.

Tom knikt.

„Kom op dan.

Klim maar op mijn rug.

Dan vliegen we naar het kasteel."

De mond van Tom valt nu wijd open.

Zo verbaasd is hij.

Maar hij klimt wel op de rug van de geest.

Dan zweven ze naar boven.

In de verte is het kasteel te zien.
Ze vliegen er naartoe.
De deur staat wijd open.
Ze zweven naar binnen.

Nog meer geesten

De twee harnassen bij de trap buigen.
Tom komt met de geest bij de grote zaal.
Hij wrijft in zijn ogen.
In de zaal staan veel mensen.
Ze hebben rare kleren aan.
Het zijn de mensen van de schilderijen!
Ze zijn uit hun lijst gestapt.

De geest loopt langs de mensen
naar de grote haard.
Tom gaat achter hem aan.
De geest duwt op de lijst van het schilderij
dat boven de haard hangt.
Het schilderij gaat open als een deur.

„De schat, de schat," roepen de mensen.

„Breng ons de schat.

Redder in de nood, onze dank is groot."

Ze staan om Tom heen.

Hij krijgt een fakkel.

„Au," zegt Tom. „Dat is heet."

Hij pakt een doek.

Die doet hij om zijn hand.

Dan klimt hij door de lijst.

Hij loopt de gang in.

Opeens ziet Tom een vreemd licht.
Hij loopt er naartoe.
Daar staat een grote kist.
Hij doet het deksel open.
Zijn ogen doen pijn,
zo glimt het goud.

Tom rent terug door de gang.
„Ik heb de schat!" roept hij.
Hij klimt door de lijst.
De zaal is leeg!
De mensen zitten weer in hun lijst.
In het grote schilderij zit weer een gezicht.
Het is de man van die morgen.
Hij knipoogt.

Stop de sloop

Tom wordt wakker.
De zon kriebelt in zijn gezicht.
Wat een droom!
Dan kijkt hij naar zijn hand.
Daar zit een doek om.

Tom kruipt uit zijn tent.
Bij het washok staan Jim en Anna.
„Gaan we naar het kasteel?" roepen ze.
Tom vertelt van zijn droom.
„Dat kan toch niet?" zegt Anna.
Tom wijst op zijn hand.
Maar hij twijfelt.
Misschien is hij gevallen met spelen
en weet hij het niet meer.
„Kom," zegt Tom.
„Dan gaan we naar het kasteel."

Ze lopen naar het kasteel.
Daar staat een grote groep mensen.
Ze hebben borden bij zich,
en spandoeken.

Er staat een man bij de poort.
Hij laat de mensen niet binnen.
„Het is een krot," zegt de man.
„Er komen hier flats.
Daar kunnen een boel mensen wonen."
„Weg met de afbraak, stop de sloop!"
roepen de mensen.

Tom wijst naar een gat in het hek.
Vlug kruipen ze door het gat.
Ze gaan naar de achterkant van het kasteel.
Jim trekt aan een deur.
Hij zit op slot.
Tom prutst met zijn zakmes.
Het slot klikt open.
Ze glippen door de deur.

Tom loopt voorop.

Ze komen bij de grote trap.

De twee harnassen staan stil.

Jim kijkt in een helm.

„Zie je wel? Leeg," zegt hij.

Ze lopen door een lange gang.

Anna geeft een gil.

Ze wijst met grote ogen naar een schilderij.

„Die daar gaf me een knipoog!"

„Ach, dat kan niet," zegt Jim.

Hij steekt zijn tong uit naar het schilderij.

Ze lopen verder.
Opeens horen ze een dreun.
Jim ligt languit op de grond.

Jim ziet bleek.
„Dat harnas," stottert hij.
„Dat stak zijn been uit."
„Weet je het zeker?" vraagt Tom.
Hij kijkt in de helm.
„Niets te zien.
Je viel gewoon over je veters."
De veters van Jim zijn los.

Gered

Ze zijn in de grote zaal.

Tom wijst.

In de haard brandt een vuur.

Nu zit er een gezicht in het schilderij.

Het is de man van gisteren.

„Zie je dat?" zegt Tom.

„Net zoals ik gedroomd heb."

Hij loopt naar de lijst boven de haard.

Het lijkt of de schilderijen naar hem kijken.

Tom drukt op de lijst.

Piepend zwaait het schilderij open.

Jim en Anna kijken met open mond.

„Ik wil hier weg," zegt Jim.

Ook Anna kijkt een beetje angstig.

„Jullie zijn toch niet bang?" zegt Tom.

„Ik ga de geheime gang in.

Of durven jullie niet?"

„Wel hoor," zeggen Jim en Anna.

„Nou, kom op dan," roept Tom.

Hij pakt een doek.

Die doet hij om zijn hand.

Dan pakt hij een van de fakkels.

Hij steekt de fakkel aan in de haard.

Ze schuiven een hoge stoel voor de lijst.

En ze klimmen er doorheen.

Het is koud in de geheime gang.

Ze lopen een heel eind.

„Ik wil terug," fluistert Jim.

„Straks gaat dat schilderij dicht.

Dan kunnen we er niet meer uit."

„Nog een klein stukje," zegt Tom.

„Ik denk dat we er bijna zijn."

Ze slaan een hoek om.

Daar staat een kist!

Tom opent het deksel.

„Wauw, een echte schat!" roepen ze.

„De geesten hebben ons geholpen.

Die wilden het kasteel redden.

En daar hadden ze ons voor nodig."

Tom pakt een paar munten.

„Die laat ik aan de mensen buiten zien."

Tom, Jim en Anna gaan terug.
Ze rennen door de geheime gang.
Dan klimmen ze uit de lijst.
Snel gaan ze naar de ingang.
Ze gooien de deur open en roepen:
„We hebben de schat gevonden!"

De man bij het hek draait zich om.
„Een schat?" roept hij. „Dat zal wel."
„Echt wel," zegt Tom.
Hij laat de gouden munten zien.
„Wat is dit dan?
En er zijn er nog veel meer.
Het lijkt de straatprijs van de loterij wel."
De mensen met de spandoeken juichen.
„Stop de sloop.
Het kasteel is gered!"

Tom, Anna en Jim mogen op de foto.

Samen met de baas van het kasteel.

De foto komt in de krant.

Ze staan bij het schilderij boven de haard.

De baas wijst naar de man op het schilderij.

„Dat is mijn voorvader.

Hij heeft op de schat gepast.

Hij wil jullie vast tot ridder slaan.

Maar hij is al vierhonderd jaar dood.

Dus dat gaat niet.

Ik ben zo blij!

Het kasteel blijft bestaan,

dankzij de schat."

„Ja," zegt Tom. „Goed hè?"

Hij geeft een knipoog naar het schilderij.

Gaf het nou een knipoog terug?

Of was het een zonnestraal?